SCHLÖSSER UND GÄRTEN IN POTSDAM

SCHLÖSSER UND GÄRTEN IN POTSDAM

FOTOS MANFRED HAMM

TEXT HANS-JOACHIM GIERSBERG

NICOLAISCHE VERLAGSBUCHHANDLUNG BERLIN

Frontispiz: Gitterlaube vor dem Schloß Sanssouci mit der
römisch-antiken Bronzefigur des Betenden Knaben (Kopie)

2. Auflage 1991
© Nicolaische Verlagsbuchhandlung
Beuermann GmbH, Berlin
Lektorat: Carolin Hilker-Siebenhaar
Satz: Nagel Fototype, Berlin
Lithos: O.R.T. Kirchner + Graser, Berlin
Druck und Bindung: Passavia GmbH, Passau
Alle Rechte vorbehalten
Printed in Germany
ISBN 3-87584-323-1

EINLEITUNG

Von der Mitte des 17. Jahrhunderts bis 1918 war Potsdam neben Berlin die zweite Residenz der Hohenzollern. Zwar ist der Ort bereits im Jahre 993 erstmalig erwähnt worden und besaß seit dem beginnenden 14. Jahrhundert Stadtrecht, doch ist er in all den Jahrhunderten zuvor geschichtlich bedeutungslos geblieben. Eigene Ambitionen und Vorstellungen der Herrscher sowie die Hofhaltung haben die Entwicklung und das Bild der Stadt und seiner Umgebung in entscheidendem Maße geprägt. Das Wirken der jeweils in ihrer Zeit bedeutendsten Künstler, vor allem der Baumeister Schlüter, Knobelsdorff, Gontard, Langhans und Schinkel sowie des Gartengestalters Lenné, hat sie in den Rang einer europäischen Kulturstadt erhoben.

Neben dem schrittweisen Ausbau des Schlosses und der Stadt ist seit der Zeit des Großen Kurfürsten (reg. 1640–88) das Augenmerk auch auf die Gestaltung der Havellandschaft mit ihren Hügeln und Seen gerichtet gewesen. Für die Jagd angelegte Tiergärten waren nur ein Element der Landschaftserschließung, breite, von dem neu erbauten Stadtschloß ausgehende Alleen und Sichtachsen schufen darüber hinaus ein Bezugssystem zu Blickpunkten und kleineren Schloßbauten in der Umgebung.

»Das ganze Eiland muß ein Paradies werden«, hatte 1664 Johann Moritz von Nassau-Siegen in bezug auf Potsdam dem Großen Kurfürsten geschrieben und damit das Programm für Architektur und Gartenkunst der nächsten Jahrhunderte formuliert. Unter seinem Nachfolger, dem ersten preußischen König Friedrich I. (reg. 1688–1701–13), wurde Potsdam zum Mittelpunkt glänzender Feste. Der eigentliche Ausbau der Stadt vollzog sich unter dem Soldatenkönig Friedrich Wilhelm I. (reg. 1713–40), dessen Vorliebe für das Militär und die Jagd den Charakter eines wesentlich vergrößerten Potsdams mit dem bescheidenen

Jagdschlößchen am Stern prägten. Die bürgerlich anmutende Garnison- und Manufakturstadt des Vaters ließ Friedrich der Große (reg. 1740–86) in eine repräsentative Residenz umwandeln, der er den Vorrang vor Berlin gab. Das Stadtschloß wurde sein Winteraufenthalt, während für den Sommer Schloß und Garten Sanssouci entstanden. Potsdam ist von nun an ständiger Wohnsitz des Königs, und eigentlich ist Preußen in friderizianischer Zeit – ausgenommen in Kriegszeiten – von hier aus regiert worden.

Mit Friedrich Wilhelm II. (reg. 1786–97) erhielt Potsdam nicht nur einen neuen König, sondern auch einen »Neuen Garten« im Norden. Politisch vor und nach der Französischen Revolution kaum erfolgreich, hatte er doch als Förderer der frühklassizistischen Kunst mehr Erfolg. Neben dem Brandenburger Tor zählt das Marmorpalais im Neuen Garten zu den bedeutendsten Bauwerken seiner Zeit.

Unter der Regierung Friedrich Wilhelms III. (reg. 1797–1840), dessen Interesse anfangs auf Paretz und nach dem Tod der Königin Luise (1810) mehr auf Charlottenburg gerichtet war, entstanden in der Potsdamer Landschaft Sommerresidenzen seiner Söhne in Klein-Glienicke, Charlottenhof und Babelsberg.

Die älteren Parkanlagen und auch die neueren waren eingebunden in einen Verschönerungsplan der Umgebung von Potsdam, den Lenné 1833 entworfen hatte und der mit dem neuen König Friedrich Wilhelm IV. (reg. 1840–1861) in die Tat umgesetzt wurde. Der Gedanke einer umfassenden Landschaftsgestaltung hatte nun seine Vollendung gefunden; aus dem »Eiland Potsdam« war wirklich ein Paradies geworden. Vieles hat sich seit Lennés Zeiten verändert, geblieben sind die großen Potsdamer Parkanlagen: Sanssouci, Neuer Garten, Babelsberg.

Apoll mit dem erlegten Drachen Python. Marmorfigur des französischen
Bildhauers F. G. Adam (1752) im Rondell an der Großen Fontäne

PARK SANSSOUCI

Sie werden mich hier als
friedlichen Bürger von
Sanssouci finden, der das
Leben eines philosophischen
Privatmannes führt.
Friedrich der Große an Voltaire, 1749

Als Friedrich der Große 1740 den preußischen Königsthron bestieg, wußten die Bewohner Potsdams nicht, ob auch er sich wie seine Vorgänger für die Stadt entscheiden würde. Im Gegensatz zu der spartanisch-despotischen Hofhaltung seines Vaters in Wusterhausen und Potsdam hatte er seit 1736 in der kronprinzlichen Residenz Rheinsberg mit Freunden ein relativ freies Leben führen können. Später bekannte er, daß er dort seine glücklichsten Jahre verlebt habe. Rheinsberg war »märkisches Arkadien« und »Republique de Platon« zugleich. Der Suche nach Antworten auf religiöse, philosophische und politische Fragen entsprach auf der anderen Seite die Beschäftigung mit der Kunst. Der Baumeister Georg Wenzeslaus von Knobelsdorff, der Maler Antoine Pesne und der junge Bildhauer Friedrich Christian Glume schufen den künstlerischen Rahmen, vieles zaghaft noch, was dann in Charlottenburg und vor allem in Sanssouci zur Meisterschaft reifen sollte. Rheinsberg, das Friedrich schon 1737 als »mein Sanssouci« bezeichnete, ist der Schlüssel zur friderizianischen Kunst.

Aber Rheinsberg lag wohl doch zu weit von Berlin, um als Nebenresidenz in Betracht zu kommen. 1742 ließ der König in Charlottenburg auf halbem Wege nach Potsdam den Neuen Flügel an das Schloß des ersten preußischen Königs Friedrich I. bauen. Aber auch dieser Ort scheint nicht seinen Vorstellungen entsprochen zu haben, denn ab 1744 ist sein Interesse in höchstem Maße auf Potsdam gerichtet. Nahezu gleichzeitig wurde die Kabinettordre zum Ausbau des Stadtschlosses und zur Anlage eines Weinbergs mit Terrassen bei Potsdam erteilt. Vielleicht haben für diese Wahl nicht nur die Tradition und die Nähe zu Berlin – Potsdam liegt in der gleichen Entfernung zur Hauptstadt wie Versailles zu Paris –, sondern auch die landschaftlichen Gegebenheiten – hügeliges, bewaldetes Gelände mit einem sich zu Seen erweiternden Flußlauf –, die denen in Rheinsberg doch ähnlich waren, beigetragen.

Das Stadtschloß wurde von nun an der Aufenthaltsort des Königs im Winter, in den Sommermonaten bewohnte er Sanssouci. Das Gelände westlich der Stadt vor dem Brandenburger Tor war dem König seit seiner Kindheit bekannt. Sein Vater hatte dort einen Kraut- und Küchengarten mit einer Meierei anlegen lassen, den er im spöttischen Vergleich mit der großen französischen Anlage »mein Marly« nannte. Für die Kinder war der Aufenthalt trotz der Belustigungen wie Schnepfenschießen und Kegeln meist recht langweilig. Der Kronprinz scheint jedoch von hier aus den nahen »Wüsten Berg« kennengelernt zu haben, der wenige Jahre später das Herzstück seines Sommersitzes werden sollte. Jedenfalls werden eine erste Bestellung von Weinstöcken und Feigen an seinen Sekretär Jordan und eine Bemerkung in einem Brief an seine Mutter – »wir haben gestern auf dem Hügel gespeist, von dem aus die Sicht reizend ist« –, beides im August 1743, auf den Weinberg bezogen, mit dessen Anlage genau ein Jahr später begonnen wurde. Die sechs in der Mitte einschwingenden, mit verglasten Nischen und

Spalierflächen gegliederten Terrassen wurden bald mit Kirsch-, Aprikosen- und Pflaumenbäumen sowie Wein und Feigen bepflanzt. Zu den Taxuspyramiden kamen in den Sommermonaten die Orangenbäume, so daß der Berg Nutzen und Zierde gleichermaßen vereinte.

Am 14. April 1745 wurde der Grundstein für ein »Lusthaus« gelegt, das am 1. Mai 1747 eingeweiht wurde und an dessen Südfront seit 1746 der Name SANS,SOUCI. steht; Rheinsberg, das Friedrich der Große 1744 seinem Bruder Heinrich geschenkt hatte, war in Potsdam neu entstanden. Der »Philosoph von Sanssouci«, wie sich der König von nun an nannte, wollte »ohne Sorge« diesen »Sitz der Ruhe, des häuslichen Lebens, der schönen Natur und der Musen« (Nicolai) genießen. Daß trotzdem von hier aus regiert wurde, blieb wohl nicht aus. Fünf Räume, mit erlesenem Geschmack gestaltet und eingerichtet, bewohnte der König, ebenso viele Zimmer standen den Gästen zur Verfügung; der Marmorsaal nahm die berühmte Tafelrunde auf.

Wenn auch Knobelsdorff die Entwurfszeichnung anfertigte, die »erste Idee« dafür hat der König selbst skizziert. Seine intensive Mitsprache und Beteiligung in Bau- und Gestaltungsfragen war nicht nur auf das Schloß beschränkt, sondern ist überall in Sanssouci und Potsdam zu finden. Nichts geschah ohne seine ausdrückliche Genehmigung.

Sehr bald wurde der Garten nach Osten, vor allem aber nach Westen erweitert. Wie ein Belvedere steht das Schloß auf dem Berg, über die Mitteltreppe des Weinberges steigt man hinab in das Parterre mit den Marmorgruppen der vier Elemente sowie den Götterpaaren an den Wegeeingängen, geschaffen von französischen Bildhauern; das ist der geistige Mittelpunkt des Gartens, dem sich alles

zuordnet. Im Gegensatz zu den sonst üblichen Barockgärten ist die Hauptallee nicht auf das Schloß ausgerichtet, sondern verläuft parallel zur Hügelkette vom Obelisk bis zum mehr als zwei Kilometer entfernten Neuen Palais. Vor den im Rhythmus ansteigenden Bauten laden Rondelle, nicht selten umstellt mit Skulpturen, zum Betrachten und Verweilen ein. Auf der östlichen Seite steht am Fußpunkt die marmorne Neptungrotte (1751/57), ihr entspricht westlich die Felsengrotte aus Sandstein (1749). Auf halber Höhe begleiten zwei Pendantbauten das Schloß: Für die Unterbringung der Orangen- und Zitrusgewächse baute Knobelsdorff 1747 westlich die Orangerie, die jedoch nach 1770 durch die Einfügung von sieben Kavalierzimmern und vier Sälen zu einem Gästehaus wurde und den Namen »Neue Kammern« erhielt. Das friderizianische Rokoko, das in Rheinsberg seinen Anfang genommen hatte, entfaltete hier noch einmal seine ganze Kraft und Phantasie, obwohl dieser Stil bereits unmodern geworden war und der Klassizismus sich schon vielerorts, z.B. in Wörlitz, ankündigte.

Anstelle eines 1747 errichteten Gewächshauses entstand 1755/63 in Anlehnung an die Orangerie auf der östlichen Seite die Bildergalerie. Der König bevorzugte zwar seit Rheinsberg die Werke Watteaus und seiner Schüler Lancret und Pater und sammelte sie auch in Charlottenburg und in Sanssouci, jedoch nach 1750 bekundete er auch Interesse an repräsentativen, großformatigen Gemälden des italienischen und flämischen Barocks. Sie wurden nun in einem eigenen Gebäude untergebracht; die Bildergalerie in Sanssouci ist damit einer der ersten selbständigen Museumsbauten in Deutschland.

Zu einem barocken Garten gehören Wasserspiele, Sanssouci mußte im 18. Jahrhundert ohne Fontänen auskommen. Trotz großer finanzieller Anstrengungen und des Einsatzes holländischer Spezialisten gelang es nicht, das Wasser der Havel in das Becken auf dem nördlich des Schlosses Sanssouci gelegenen Ruinenberg zu pumpen. Von dort sollte es dann die Fontänen speisen. Erst die 1842 in dem eigens dafür errichteten Gebäude aufgestellte Dampfmaschine – heute elektrisch betriebene Pumpen – die, wie im 18. Jahrhundert beabsichtigt, das Havelwasser auf den Ruinenberg drückten, ermöglichen seither das Spiel der Fontänen und die Bewässerung des Parkes.

Wenn auch die Wasserspiele ausblieben, so wurde doch die friderizianische Sommerresidenz durch weitere, z.T. exotisch anmutende Bauwerke bereichert. Dazu gehört zweifellos das südöstlich der Hauptallee liegende Chinesische (oder auch Japanische) Teehaus (1754/57), ein exzellentes Beispiel der im Rokoko weit verbreiteten Chinamode. Die vergoldeten Figuren am Außenbau, die Malerei des Kuppelraumes im Innern sowie das ausgestellte Porzellan machen es zu einem besonderen Anziehungspunkt. Auch das 1770 für den Winzer des Weinberges am Klausberg errichtete Drachenhaus, das die Form einer Pagode hat, muß in diesem Zusammenhang genannt werden.

Vom Ende der Heckenquartiere bis zum Neuen Palais erstreckt sich der Rehgarten, ein altes Jagdgebiet, das jedoch als solches nicht mehr genutzt, sondern, wenn auch in freier Form, in die Gartengestaltung einbezogen wurde. Nicolai bezeichnete es 1786 als »einen Wald, der durch die Kunst etwas gelüftet war«. Den westlichen Abschluß des Gartens bildet das gewaltige Neue Palais, Sanssoucis größter Schloßbau im 18. Jahrhundert. Die Pläne für den Schloßbau zur Unterbringung der Verwandten und Freunde des Königs hatten Johann Gottfried Büring, der

Baumeister der Bildergalerie und des Teehauses, sowie Heinrich Ludwig Manger ausgearbeitet; sie wurden dann von dem 1764 aus Bayreuth nach Potsdam gekommenen Carl von Gontard einschließlich der für die gegenüberliegenden Communs (Wirtschaftsgebäude) weiterbearbeitet und ausgeführt. In nur sieben Jahren, 1763 bis 1769, wurde das aus mehreren Bauten bestehende Ensemble von Potsdamer Handwerkern und Künstlern ausgeführt, die damit endlich wieder dringend benötigte Aufträge erhalten hatten.

Im Innern ist das Palais in fürstliche Appartements, in Säle und Galerien gegliedert. Der barocken Hofhaltung stand auch ein Theater zur Verfügung. Auch Friedrich der Große ließ sich im kleinen Südflügel eine Wohnung einrichten, die er bereits 1765 beziehen konnte. Das Neue Palais war wie alle Schlösser in Sanssouci nur für eine Nutzung im Sommer gedacht, erst der letzte Kaiser Wilhelm II. hat durch den Einbau einer Heizung auch einen Winteraufenthalt möglich gemacht.

Den Abschluß der friderizianischen Bautätigkeit bildet das Belvedere auf dem Klausberg (1770/72). Der König hatte dafür ein Vorbild aus der Antike, die in einem Kupferstichwerk abgebildete Rekonstruktion des Marcellum des Nero in Rom, ausgewählt. Es überragt noch heute – leider seit 1945 als Ruine – die Gipfel der Bäume, aber bald wird man wieder von hier aus nicht nur auf das Sanssouci Friedrichs des Großen blicken können. Sein Tod im Schloß Sanssouci am 17. August 1786 brachte für seine Sommerresidenz, deren Werden und Wachsen über vierzig Jahre er so intensiv mitgeprägt hatte, das Ende einer großen Epoche.

Der Nachfolger Friedrich Wilhelm II. ließ ihn nicht in der schon 1744 angelegten Gruft auf der obersten Schloßterrasse, sondern in der Potsdamer Garnisonkirche beisetzen, und noch im Todesjahr das Arbeits- und Schlafzimmer im Schloß Sanssouci durch Friedrich Wilhelm von Erdmannsdorff aus Wörlitz umgestalten. Bald wandte er sich aber dem Marmorpalais im Neuen Garten zu. Sanssouci war unmodern geworden, nur die Potsdamer konnten jetzt im Park promenieren.

Die zweite bedeutende Epoche in der Geschichte Sanssoucis ist mit der Person des preußischen Königs Friedrich Wilhelm IV. verbunden. Die Verehrung seines großen Vorfahren verband sich bei ihm mit eigenen künstlerischen Ambitionen, die weit über Sanssouci hinausreichten, den Park aber immer wieder als Kernpunkt ansahen. Ihm zur Seite standen zwei kongeniale Künstler: Karl Friedrich Schinkel und Peter Joseph Lenné. Bau- und Gartenkunst, schon im 18. Jahrhundert vereint, gingen nun auf neue Weise eine Verbindung ein.

Lenné war 1816 nach Potsdam gekommen. In den ersten Jahren war sein Wirken auf das langgestreckte, schmale, sich vom Obelisk bis zum Neuen Palais erstreckende Parkgebiet beschränkt. Friedrich Wilhelm III. legte Wert auf die Beibehaltung der friderizianischen Grundstrukturen, in die sich jedoch landschaftliche Elemente einfügten. So mußte auch der von Lenné vorgelegte Plan, die Hauptallee als Gehweg zu beseitigen und nur noch als Sichtachse bestehen zu lassen, auf Ablehnung gestoßen sein. Erst in den Parkerweiterungen und deren Anbindung an die älteren Anlagen zeigt sich sein ganzes Können. Zum ersten Mal wird das bei dem Park Charlottenhof deutlich. Friedrich Wilhelm III. hatte 1825 seinem Sohn, dem Kronprinzen Friedrich Wilhelm (IV.), das südlich des Parks gelegene Büringsche Vorwerk, ein aus Bürgergärten bestehendes, rund 100 Hektar großes Gelände, geschenkt.

Das Landhaus hatte den Potsdamer Baumeistern als Sommerwohnung gedient.

Zahlreiche Skizzen des Kronprinzen zeugen von der regen Anteilnahme des Bauherrn für den Umbau des Gebäudes, dessen Name auf die ehemalige Besitzerin Charlotte von Gentzkow zurückgeht.

Schinkel kommt das Verdienst zu, diese Ideen in bester klassizistischer Baugesinnung umgearbeitet und durch wesentliche Anregungen bereichert zu haben. So entstand ein Bauwerk von bewundernswertem Ebenmaß der Proportionen.

Mit sparsamsten Mitteln und unter Verwendung großer Teile der alten Mauersubstanz wurde der Umbau unter Leitung von Ludwig Persius in den Jahren 1826 bis 1829 ausgeführt.

Das Innere erhielt mit seinen kräftig-farbigen Papiertapeten und den zweckmäßig schlichten Formen der zum Teil von Schinkel entworfenen Möbel die Behaglichkeit bürgerlicher Einrichtung jener Zeit.

Noch während des Baues des Schlosses Charlottenhof entstanden schon 1826 die ersten Entwürfe für die in der Nähe gelegenen Römischen Bäder. Auch diese Baugruppe ging aus dem engen Zusammenwirken zwischen Schinkel, seinem Bauherrn und dem Schinkelschüler Ludwig Persius hervor. Im Gegensatz zu Charlottenhof war hier jedoch durch die ungezwungene Anordnung der Baukörper eine malerische Wirkung angestrebt, die der unmittelbar heranreichende Maschinenteich mit seiner Wasserfläche unterstrich. Das erste Gebäude war das im Stil italienischer Landhäuser des 15. Jahrhunderts errichtete Hofgärtnerhaus, in dem der mit der Ausführung der Lennéschen Pläne besonders im Park Charlottenhof betraute Hermann Sello wohnte.

Noch im gleichen Jahr 1830 wurde der Teepavillon am Maschinenteich hinzugefügt und mit dem Gärtnerhaus durch eine Pergola verbunden.

Den inneren Garten schloß seit 1833 die Arkadenhalle ab. Sie diente zunächst als Orangerie, bis 1837 dahinter der Bau des Römischen Bades und seiner Räume begann, deren Ausgestaltung erst in den vierziger Jahren des 19. Jahrhunderts abgeschlossen wurde. Die Anordnung des Atriums, des Impluviums, des eigentlichen Bades (Thermenhalle), das der Anlage seinen Namen gab, und der übrigen Räumlichkeiten vollzog sich in lockerer Form ohne allzu enge Anlehnung an die Vorbilder antiker römischer Bäder und Häuser.

Gleichzeitig mit der regen Bautätigkeit auf dem neuen Gelände um Charlottenhof setzte die gärtnerische Gestaltung unter Leitung von Peter Joseph Lenné ein. Weite Rasenflächen, lockere Baumgruppen und der künstlich angelegte Maschinenteich mit seiner Wasserfläche vereinigen sich harmonisch zu einem Landschaftsbild, dem in die Ferne bis zum Neuen Palais gehende Sichtachsen Weite und Tiefe verleihen. Die durch den Aushub des Maschinenteiches gewonnenen Erdmassen nutzte Lenné, um dem Gebiet eine sanfte Bodenmodellierung zu geben. Der Name Maschinenteich bezog sich auf das kleine Maschinenhaus mit der Dampfmaschine für die Wasserspiele von Charlottenhof, das sich an dessen Ufer genau östlich des Schlosses Charlottenhof befand.

Schon in den dreißiger Jahren des 19. Jahrhunderts plante Friedrich Wilhelm (IV.) einen Kirchenbau in der Nähe von Charlottenhof. In den Skizzen dafür spiegelten sich architektonische Anregungen wider, die der damalige Kronprinz während seiner Italienreise 1828 erhalten hatte. Sie fanden auch ihren Niederschlag bei der Errichtung der Kirche durch Persius am östlichen Rand des Parkes nach dem Vorbild der Kirche von S. Clemente und des separaten Glockenturmes S. Maria in Cosmedin in Rom. Trotz dieser engen Bindung an Vorgegebenes entstand mit der Friedenskirche und den sie umgebenden Bauten ein architektonisches Ensemble, das besonders durch den an italienische Camposantoanlagen erinnernden Kreuzgang und das Atrium fast eine Atmosphäre klösterlicher Abgeschiedenheit schafft. Friedrich Wilhelm IV. und seine Gemahlin Elisabeth sind in der Kirche beigesetzt.

Da Ludwig Persius 1845 starb, übernahmen andere, ebenfalls aus der Schinkelschule hervorgegangene Architekten die Ausführung der Persiusschen Pläne. Mit der Bauleitung wurde August Stüler beauftragt, während die Bauausführung in den Händen von Ferdinand Ludwig Hesse und Ferdinand von Arnim lag. Von den Bauten um die Friedenskirche entstanden nacheinander zunächst die Kirche selbst 1845 bis 1848, dann der Glockenturm 1848 bis 1850, das Pfarrhaus mit der Schule, einem wohnturmartigen Bauelement und dem Pförtnerhaus 1849 bis 1851 und der Kreuzgang 1852 bis 1854, angelegt zwischen dem Pfarrhaus, dem Atrium und dem Kavalierhaus.

1888/90 wurde dem Bauensemble das Mausoleum für Kaiser Friedrich III. und die Kaiserin Viktoria hinzugefügt.

Nach der Thronbesteigung Friedrich Wilhelms IV. im Jahre 1840 setzte eine rege Bautätigkeit ein. An der Peripherie des Parkes entstanden mehrere bemerkenswerte Einzelbauten und Gebäudegruppen in respektvoller Distanz zum Kern der Anlagen Friedrichs des Großen. Im Park selbst setzte man mit zahlreichen Fontänen und Kleinarchitekturen Neues neben das Alte, um auch in diesem Rahmen eigene künstlerische Anschauungen zu dokumentieren.

Die aufwendigste Idee einer Verknüpfung des friderizianischen Architekturensembles mit eigenen, im Italienerlebnis wurzelnden Vorstellungen war das Projekt einer Triumphstraße. Es beschäftigte Friedrich Wilhelm IV. schon während seiner Kronprinzenzeit und sollte am Nordrand des Parkes ausgeführt werden. Der phantasiebegabte und oft als »Romantiker auf dem Thron« bezeichnete König stellte sich hier eine Aufreihung von Bauwerken vor, deren Konzeptionen in zahlreichen, immer wieder veränderten Entwürfen ablesbar sind.

Von den umfangreichen Vorhaben wurden jedoch nur das Triumphportal, das Winzerhaus, das Mühlenhaus mit seinem Plateau und der Futtermauer neben dem Felsentor sowie die Orangerie ausgeführt. Sie sollte den anwachsenden Bestand an Kübelpflanzen im Park während der Wintermonate beherbergen, eine repräsentative Gästewohnung für das russische Zarenpaar und vor allem einen Saal enthalten, in dem die umfangreiche Sammlung von Kopien nach Gemälden Raffaels Platz finden konnte. Zunächst war Persius mit der Aufgabe betraut worden, nach Skizzen Wilhelms IV., die unter dem Eindruck der italienischen Renaissance-Baukunst entstanden waren, Entwürfe zu zeichnen. Der Tod des Architekten 1845, Schwierigkeiten beim Ankauf des Baugrundes und die Ereignisse der Revolution 1848 verzögerten den Baubeginn, beeinflußten aber kaum die weiterführende Planung, mit der nun August Stüler und Ludwig Hesse beauftragt wurden. Obwohl sich der Bauherr noch nicht für eine bestimmte Gesamtlösung entschieden hatte, begann man 1851 mit dem Westflügel. 1853 bis 1859 wurden der Mittelbau und der Ostflügel ausgeführt, um 1864 konnte der gesamte Bau durch die Fertigstellung des Eckpavillons vollendet werden. Trotz der Entlehnungen aus der italienischen Renaissancebaukunst – die Baumeister verdankten wichtige Anregungen Vorbildern wie der Villa Pamfili und der Villa Medici in Rom sowie der Uffizien in Florenz – entstand ein neues architektonisches Gefüge von monumentaler Wirkung, das Ausdruck der romantischen Italienschwärmerei des nachschinkelschen Klassizismus ist.

Damit endete die Bautätigkeit in Sanssouci. Der Tod Lennés 1866 war auch die große Zäsur in der Gartengestaltung. Fünfzig Jahre hatte er in Sanssouci gewirkt und den Park durch neue weite Anlagen, aber auch durch intimere Gartenbereiche wie den Marlygarten (1846), den Sizilianischen Garten und den Nordischen Garten (1857) verschönt.

Die Kunst des 18. und 19. Jahrhunderts vereinigt sich in Sanssouci zu einem Gartengestaltung, Architektur und Innendekoration umfassenden einmaligen Gesamtkunstwerk.

Figurenrondell an der Großen Fontäne mit Weinberg und Schloß Sanssouci

Kolonnade an der Nordseite des Schlosses Sanssouci,
entworfen von G. W. v. Knobelsdorff, 1748 vollendet

Blick auf den Weinberg und die Gartenseite des Schlosses Sanssouci

Bibliothek Friedrichs des Großen im Schloß Sanssouci,
einer der schönsten Räume des deutschen Rokoko

Marmorsaal im Schloß Sanssouci, Speisesaal und Ort der Tafelrunde
Friedrichs des Großen

Musenrondell auf der Hauptallee mit acht Marmorfiguren
von F. Chr. Glume, geschaffen 1752

Blick von der Puttenmauer zur Bildergalerie, errichtet von J. G. Büring
1755/63 als einer der ersten deutschen Museumsbauten

Neptungrotte, entstanden 1751/57 nach einem Entwurf von G. W. v. Knobelsdorff,
mit reichem Skulpturenschmuck von J. P. Benckert und G. F. Ebenhech

Gartenseite der Neuen Kammern, 1747 als Orangerie errichtet und
nach 1770 im Inneren zu einem Gästewohnhaus umgebaut

Ovidsaal in den Neuen Kammern, benannt nach dem römischen Dichter,
dessen Metamorphosen die Themen für die Wandreliefs entnommen sind

Drittes Gästezimmer in den Neuen Kammern
mit reicher Intarsienarbeit der Gebrüder J. F. (d. Ä.) und H. W. (d. J.) Spindler

Gruppe der Ananas essenden Chinesen von J. G. Heymüller in der
nordöstlichen Vorhalle des Chinesischen Teehauses

Chinesisches oder Japanisches Teehaus, errichtet von J. G. Büring 1754/57,
ein besonderes Beispiel der Chinamode des 18. Jahrhunderts

Blick vom Dach des Neuen Palais zum Belvedere auf dem Klausberg,
erbaut 1770/72

Drachenhaus auf dem Klausberg, 1770 von C. v. Gontard als
Wohnhaus für den Winzer des nahen Weinbergs errichtet

Gartenseite des Neuen Palais, größter Schloßbau des 18. Jahrhunderts
in Sanssouci

Figuren auf der Dachbalustrade des Neuen Palais, geschaffen von
mehreren Potsdamer Bildhauerwerkstätten zwischen 1763 und 1769

Arbeitszimmer Friedrichs des Großen im Neuen Palais mit dem Porträt
des Königs von J. H. Chr. Franke, um 1765

Marmorsaal im Neuen Palais, Festsaal des Schlosses mit Gemälden
der französischen Maler J. Pierre, J. Restout und A. Pesne

Eingangsseite des Schlosses Charlottenhof, erbaut von 1826/29 von
K. F. Schinkel für den Kronprinzen Friedrich Wilhelm (IV.)

Morgenstimmung am Schloß Charlottenhof mit Blick über
die Wiesen zum Neuen Palais

Speisesaal im Schloß Charlottenhof mit Durchblick zum
Kupferstichzimmer und zum Roten Eckkabinett

Zeltzimmer im Schloß Charlottenhof. Schlafzimmer der Hofdamen,
beeinflußt durch ähnlich gestaltete Räume in Frankreich und in der Schweiz

Caldarium, Baderaum im Römischen Bad, mit einem Fliesengemälde
nach dem berühmten Alexandermosaik in Pompeji

Blick über den Maschinenteich zur Gebäudegruppe der Römischen Bäder
mit Teepavillon, Hofgärtnerhaus und Arkadenhalle, entstanden 1829/35

Säulenhof der Orangerie mit dem Denkmal Friedrich Wilhelms IV.
von G. Bläser, 1873

Mittelbau der Orangerie mit den seitlich angrenzenden Pflanzenhallen,
erbaut 1850/64

Allegorische Figur des Januar an der westlichen Pflanzenhalle der Orangerie,
geschaffen von L. W. Stürmer, 1865

Figur des Bogenschützen von E. M. Geyger, 1901, im Parterre
unterhalb der Orangerie; im Hintergrund die Jubiläumsterrasse

Raffaelsaal in der Orangerie mit der Kopie (1804) nach der
bekannten Sixtinischen Madonna in der Dresdner Gemäldegalerie

42

Malachitzimmer in der Orangerie, eingerichtet als Schlafraum für die
Zarin Alexandra Feodorowna, Schwester Friedrich Wilhelms IV.

Dampfmaschine für die Fontänenanlage von Sanssouci, erbaut 1842
von der Fa. Borsig, bis 1894 in Betrieb

Dampfmaschinenhaus für die Fontänenanlage von Sanssouci,
errichtet 1841/42 von L. Persius, in Form einer Moschee

Friedenskirche am östlichen Rand des Parkes Sanssouci in unmittelbarer
Nähe der Stadt, erbaut 1845/48 nach Vorbildern frühchristlicher Kirchen Roms

Schloß Lindstedt, 1857/61 als Alterssitz für Friedrich Wilhelm IV. errichtet

Gedächtnisurne für Gräfin Ingenheim, Geliebte Friedrich Wilhelms II.,
mit dem Genius des Todes im ovalen Relief

48

DER NEUE GARTEN

»Landesvater! Friedrich-Wilhelm! siehe,
Ach zu Deinem Lustschloß ruht der Grundstein hier,
Und aus diesem schönen Lustort blühe,
Selbstgewählte, königliche Freude Dir!«

Verse der Baumeister und Handwerker
für Friedrich Wilhelm II.
zur Grundsteinlegung des
Marmorpalais 1787

Mit dem Neuen Garten entstand am Ende des 18. Jahrhunderts eine zweite große Parkanlage in unmittelbarer Nähe Potsdams. Wie Friedrich der Große gedachte auch sein Neffe und Nachfolger Friedrich Wilhelm II. in einem eigenen Gartenreich die Freuden des Lebens zu genießen.

Am Heiligen See und am Abhang des Pfingstberges befanden sich seit dem 16. Jahrhundert die Wein- und Obstgärten der Potsdamer Bürger. Die Gegend wird immer wieder als sehr reizvoll beschrieben, denn man konnte von den Gärten auf das andere, nur mit Windmühlen bestandene Ufer und weiter bis zu den Babelsberger Höhen sehen. Besonders »schön und mannigfaltig« war aber die Aussicht von dem Gartenhaus des Potsdamer Kaufmanns Punschel, das nahezu in der Mitte des nordwestlichen Seeufers unmittelbar am Wasser stand. Von Veranstaltungen, an denen nicht selten auch der Prinz von Preußen Friedrich Wilhelm (II.) teilnahm, war ihm dieser Ort mit seinen landschaftlichen Vorzügen bestens bekannt, und als Punschel seinen Garten Anfang 1783 verkaufen wollte, erwarb ihn der Prinz. Bis zu seiner Thronbesteigung im Jahre 1786 blieb hier im wesentlichen alles unverändert. Anfangs ist das Interesse des neuen Königs noch auf Sanssouci gerichtet.

Zu Beginn des Jahres 1787 fiel jedoch die Entscheidung zugunsten eines »neuen Gartens« am Heiligen See. Der ehemalige, kaum neun Morgen große Punschelsche Garten wurde durch Ankäufe weiterer um den Heiligen See gelegener Grundstücke von Jahr zu Jahr erweitert und erreichte Anfang der neunziger Jahre seine endgültige Größe von nahezu 74 Hektar; er erhielt, im Gegensatz zu Sanssouci als dem älteren Garten, den Namen »Neuer Garten«.

Mit der Gestaltung wurde der aus Dessau stammende Johann August Eyserbeck beauftragt. Ihm zur Seite stand der Gärtner Morsch. Für die Gartengestaltung gab es damals nur ein Vorbild: Wörlitz. Hier waren in der Nähe von Dessau nach 1765 zum ersten Mal in Deutschland konsequent die seit dem Beginn des 18. Jahrhunderts von England ausgehenden revolutionierenden Ideen einer neuen Gartenkunst in die Tat umgesetzt worden. Eyserbeck begann mit der Gestaltung des ehemaligen Punschelschen Gartens. Jährlich kamen neue Gebiete hinzu, in denen er

Schlängelwege und Rasenflächen mit Baumgruppen anlegte, Hügel aufschüttete und die Grenzmauer durch dichte Pflanzungen verbarg. Die Gartenhäuser der früheren Besitzer blieben als Wohnungen für das Hofpersonal erhalten und erhielten nach ihrem äußeren Anstrich die Namen »Braunes, Weißes, Rotes und Grünes Haus«. In intimen Gartenräumen wurden kleine, den sentimentalen Vorstellungen der Zeit entsprechende Gebäude in ägyptischen, antikisierenden, gotischen und maurischen Formen errichtet. Auf Befehl des Königs sollten zu Anfang keine großen Bäume und nur solche aus der Umgebung Potsdams für den Neuen Garten verwendet werden. Da er aber auf eine schnelle Fertigstellung drängte, mußten Bäume und Sträucher aus Berlin, Dessau, Leipzig, Zerbst und anderen Orten geholt werden. Neben Pappeln, Weiden, Linden und anderen Laubbäumen waren es vor allem Weymouthskiefern und Tannen, die wesentlich das Bild des Gartens prägten.

Nach Vorstellungen des Gartentheoretikers Hirschfeld sollten die Schlösser in den Gärten von »Hoheit und Größe« sein. Dem entsprach ganz das Marmorhaus – der Name Marmorpalais wurde erst später gebräuchlich –, dessen Bau anstelle des Punschelschen Weinberghauses am Anfang des Jahres 1787 begonnen wurde. Mit dem Entwurf war Carl von Gontard beauftragt worden. Bis 1789 leitete Gontard den Bau, und von ihm stammt wohl auch die Disposition der Innenräume. Aus bisher nicht näher bekannten Gründen wurde Gontard um 1790 durch Carl Gotthard Langhans (1732–1808) ersetzt, dem somit die gesamte Innenausstattung oblag. Langhans war bis zu seiner Berufung zum Leiter des Oberhofbauamtes 1788 nach Berlin in Schlesien tätig gewesen und hatte sich dort, beeinflußt durch Reisen nach Italien, Holland, England

und Frankreich, früher als die in den Residenzen Berlin und Potsdam unmittelbar unter den Augen Friedrichs des Großen tätigen Baumeister dem Klassizismus zugewendet. Sein wichtigstes Bauwerk in Berlin ist das Brandenburger Tor (1789/94). So erschien er wohl Friedrich Wilhelm II. geeigneter, seine Vorstellungen von einer Innendekoration englischer Prägung zu verwirklichen. Bevorzugt wurden ruhige, farblich zurückhaltende Flächen mit einer meist der Antike entlehnten linearen Ornamentik.

Da die geringe Anzahl von Räumen für die Hofhaltung nicht ausreichte, wurden 1797 zwei eingeschossige Seitenflügel wiederum in unverputztem roten Ziegelmauerwerk nach einem Entwurf des Leiters der Oberhofbauintendantur Michael Philipp Boumann (gest. 1803) angefügt. Die Säulen für die beiden Innenseiten gewann man auf Betreiben des Geheimen Kämmerers und Vertrauten des Königs, Ritz, durch den Abriß der von Knobelsdorff 1751/63 errichteten Kolonnade im Rehgarten des Parkes Sanssouci.

Der Außenbau kam noch im gleichen Jahr zustande, der Innenausbau wurde aber erst 1843/45 nach Entwürfen von Persius und Hesse vorgenommen.

Vom Plateau des Marmorpalais führt eine breite Treppe hinunter zu der am Wasser gelegenen Küche (Gontard 1790). Sie liegt wie bei vielen Schlössern des 18. Jahrhunderts abseits des Hauptgebäudes und ist mit diesem durch einen unterirdischen Gang verbunden. Der reale Zweck verbirgt sich hinter der Ruinenfassade eines in den See sinkenden antiken Marstempels.

Von Gontard stammen auch die Entwürfe des unter der Leitung Krügers 1789/90 errichteten sogenannten Holländischen Etablissements für die Hofbediensteten an der zum Palais führenden Eichenallee. Noch stärker als bei dem Marmorpalais verwendet Gontard hier mit dem roten Backstein und den geschweiften oder getreppten Giebeln Elemente der holländischen Architektur, die mit dem Holländischen Viertel (1734/42) und den davon abgeleiteten Bauten am Bassinplatz (Gontard 1773/85) einen festen Platz in der Potsdamer Baugeschichte hat.

Nach 1790 löste Langhans Gontard auch als Architekt der weiteren Gartengebäude ab. Zu den wichtigsten zählen die 1791/92 gebaute Orangerie unmittelbar hinter dem Holländischen Etablissement, die Gotische Bibliothek an der Südspitze des Heiligen Sees 1792/94 und das nicht mehr erhaltene Pendant, der Maurische Tempel auf der Landzunge zum Jungfernsee.

Das ägyptisierende Element ist am augenfälligsten bei der Pyramide. Der eigentliche Pyramidenkörper mit dekorativen Hieroglyphen erhebt sich über einen erhöhten Sockel, in dem sich auch der Eingang zur Eisgrube befindet, denn in eine entsprechende Vertiefung im Innern wurde im Winter das Eis des Heiligen Sees »zur Abkühlung des Getränks und zur Frischhaltung des Fleisches, Wiltprets, der Butter und mehrerer Speisen bey Sommerhitze« gebracht.

Das Bild des Neuen Gartens wäre aber unvollständig, ohne auf die Brunnengehäuse, Ruhebänke, Sonnenuhren, Figuren und Erinnerungsstätten hingewiesen zu haben, die sich im Park befanden und von denen nur noch wenige vorhanden sind.

Nach 1816 wurde Peter Joseph Lenné mit der Umgestaltung des Neuen Gartens betraut. Bis in die vierziger Jahre des 19. Jahrhunderts schuf er große zusammenhängende Landschaftsräume, die durch vielfältige Blickbeziehungen in die Umgebung hinausweisen. Friedrich Wilhelm IV. bezog nach 1840 auch den Neuen Garten in seine weitgesteckten Pläne einer umfassenden Gestaltung der Potsdamer Landschaft ein. Die beabsichtigte Verbindung des Neuen Gartens mit den Bauten auf dem Pfingstberg konnte jedoch nicht realisiert werden.

Nachdem sich bereits im 19. Jahrhundert gezeigt hatte, daß das Marmorpalais als ständiger Kronprinzensitz zu klein war und zu wenig zeitgemäße Bequemlichkeit bot, wurde 1912–1916 das neue kronprinzliche Schloß Cecilienhof – genannt nach der Kronprinzessin – nach dem Entwurf von Paul Schultze-Naumburg (1869–1949) im Norden des Gartens am Jungfernsee erbaut. Die Anlehnung an den englischen Landhausstil mit ornamental verwendetem Fachwerk, vorspringenden Giebeln, mit Torbauten, unterschiedlichen Gebäudehöhen und dekorativen Schornsteinen ergibt ein malerisches, sich in die Landschaft eingliederndes Bild.

Im Schloß Cecilienhof fand vom 17. Juli bis 2. August 1945 die Konferenz der Regierungschefs der Antihitlerkoalition statt. Am 2. August unterzeichneten Stalin für die Sowjetunion, Truman für die USA und Attlee für Großbritannien an dem großen runden Tisch in der als Konferenzraum dienenden Großen Halle das »Potsdamer Abkommen«.

Seit 1956 sind die historischen Konferenzräume zu besichtigen, der andere Teil des Schlosses ist ein Hotel.

In der Zeit der »Empfindsamkeit« kurz vor 1800 entstanden, durch die Lage an zwei Seen mit der Havellandschaft unmittelbar korrespondierend und mit Bauten bis ins frühe 20. Jahrhundert bereichert nimmt der Neue Garten – architektonisch, gartenkünstlerisch und auch als Ort geschichtlicher Ereignisse – unter den Potsdamer Parkanlagen einen besonderen Platz ein.

Blick über den Heiligen See auf das Marmorpalais und die Küche,
rechts die Pyramide

Küche am Heiligen See im Neuen Garten, als antike Ruine errichtet von
C. v. Gontard, 1788/90

Relief einer antiken Opferszene am Kamin der Grünen Kammer im Marmorpalais

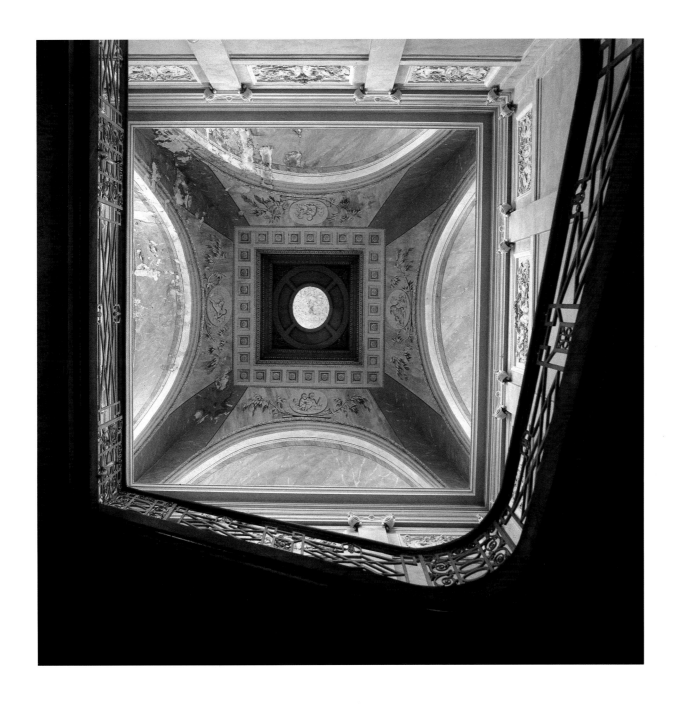

Blick in das Treppenhaus des Marmorpalais im Neuen Garten

Ruine der neugotischen Bibliothek am Heiligen See, erbaut 1792/94
von C. G. Langhans

Eiskeller in Form einer Pyramide, 1791/92 von C. G. Langhans errichtet,
1833 umgebaut

Gebäude des Holländischen Etablissements im Neuen Garten,
erbaut 1789/90 von C. v. Gontard

Schauseite der Orangerie im Neuen Garten, errichtet von
C. G. Langhans 1791/93

Innenhof des Schlosses Cecilienhof, 1913/17 im Stil englischer
Landhäuser errichtet

Konferenzsaal im Schloß Cecilienhof, Tagungsort der
Potsdamer Konferenz 1945

Weißer Saal im Schloß Cecilienhof, gestaltet im Stil des Neoklassizismus

Malerische Eingliederung des Schlosses Cecilienhof im Neuen Garten

Siegessäule mit der Statue der Victoria von C. D. Rauch im Park Babelsberg

PARK BABELSBERG UND DAS JAGDSCHLOSS STERN

*Am 3. August 1833 erteilte mir der König die
Erlaubnis, meinen Lieblingsplan, auf dem
Babelsberg ein Landhaus mit Garten gründen zu dürfen,
zur Ausführung zu bringen.*

Prinzessin Augusta und
Prinz Wilhelm von Preußen, 1835

In der ersten Hälfte des 19. Jahrhunderts entstanden in der Potsdamer Landschaft die Sommerresidenzen dreier preußischer Prinzen, Söhne Friedrich Wilhelms III. und der Königin Luise (gest. 1810).

1824 erwarb Prinz Karl Klein-Glienicke und ließ durch Lenné die Parkanlagen und durch Schinkel das Schloß mit den Nebengebäuden errichten. Zwei Jahre später begann der Umbau des Gutshauses zum Schloß und die Anlage Charlottenhofs bei Sanssouci für den Kronprinzen Friedrich Wilhelm (IV.). Glienicke gegenüber entstanden nach 1838 das Schloß und der Park Babelsberg für den Prinzen Wilhelm, dem späteren deutschen Kaiser Wilhelm I.

Das in Aussicht genommene hügelige Gelände lag zwischen der friderizianischen Weber- und Spinnerkolonie Nowawes im Süden und der sich zum Tiefen See erweiternden Havel im Nordwesten. Unter dem Großen Kurfürsten befand sich auf dem Babelsberg ein Tiergarten, den sein Nachfolger jedoch auflöste. Das Gelände blieb königlicher Besitz, angrenzende Gebiete aber, wie die 1753 errichtete Mühle des Hofrats Rehnitz – Standort des späteren Flatowturms –, waren Privateigentum.

Seit 1826 interessierte sich Prinz Wilhelm (I.) für dieses Gelände in der Absicht, hier für sich einen Sommersitz errichten zu lassen. Ein solcher Wunsch kam den Planungen Peter Joseph Lennés sehr entgegen, konnte doch

hier gegenüber von Glienicke durch eine gärtnerische Gestaltung des Babelsberges sein großer Plan einer »Verschönerung der Insel Potsdam« vorangebracht werden. Auch der architekturbegeisterte Kronprinz Friedrich Wilhelm (IV.) griff die Idee eines Schlosses auf dem Babelsberge auf und skizzierte seine Vorstellungen dazu. Eines dieser Projekte, jedoch von Schinkel überarbeitet, war vom König Friedrich Wilhelm III. schon 1826 abgelehnt worden. Doch man bewahrte dem Vorhaben weiterhin sein Interesse und erwog die verschiedensten Möglichkeiten. Prinz Wilhelm schrieb 1829 an seine Schwester Charlotte, die russische Zarin Alexandra Feodorowna: »Gestern war Tee auf dem Babelsberg, wo denn gehörige Luftschlösser für mich gebaut wurden; ich werde doch noch einen Sturm auf die Majestät wagen, denn das Projekt kann wegen der herrlichen Lage gar schön werden.« Aber noch war es nicht so weit. 1831 entwarf Ludwig Persius ein kleines Gebäude in Form eines normannischen Kastells, 1833 schuf er das Projekt eines gotischen Cottages, dem eine eigenhändige Skizze der Bauherrin, Prinzessin Augusta von Sachsen-Weimar, zugrunde lag, die sich sehr eng an Vorbilder in englischen Stichwerken anlehnte. Obwohl diese Zeichnung von Persius die Zustimmung des Königs fand, kam ein viel anspruchsvolleres Projekt zur Ausführung. Unmittelbar danach wurde nämlich kein geringerer als Karl Friedrich Schinkel mit der Planung beauftragt. Man orientierte sich auch diesmal in Umfang und Charakter an einem Idealentwurf für ein englisch-gotisches Landschloß, das ebenfalls in einem Stichwerk zu finden war (Repton 1816). Doch zeichnete sich der Schinkelsche Plan im Gegensatz zu seinem Vorbild, das aus einer undifferenzierten Zusammenstellung von Baukörpern besteht, durch eine spannungsreiche, aber ausgeglichene Gruppierung der zinnenbekrönten Bauglieder aus.

Im Frühjahr 1834 wurde der Schloßbau begonnen. Im Oktober des darauffolgenden Jahres konnte er vorläufig abgeschlossen werden, da man sich entschlossen hatte, zunächst nur die Hälfte des Projektes auszuführen.

Nach langer Vorbereitung wurde die Bautätigkeit 1844 wieder aufgenommen. Anspruch und Vorstellungen der Auftraggeber hatten sich jedoch geändert, und Persius mußte sich in seinen Entwürfen für die Fortsetzung des Baues von den Plänen Schinkels weit entfernen. Da der 1840 auf den Thron gekommene Friedrich Wilhelm IV. keine Kinder hatte, wurde Wilhelm als Prinz von Preußen zum Nachfolger ernannt, der nun natürlich in verstärktem Maße auch Repräsentationspflichten zu erfüllen hatte. Nach dem Tode von Persius 1845 übernahm Johann Heinrich Strack den Bau und vollendete ihn 1849, indem er die Pläne abermals im Sinne seiner Bauherren modifizierte, was für die Architektur des Schlosses nicht in jedem Fall vorteilhaft war.

Auch an der Gestaltung der Innenräume läßt sich die Entwicklung von der strengen Auffassung Schinkels zur reichen und aufwendigeren Dekoration seiner Schüler ablesen. Zu den besten Leistungen der Neugotik gehört zweifellos der von Persius entworfene Tanzsaal, der Klas-

sizität und mittelalterliches Formengut zu einem ganz neuen Raumgefüge vereint.

Kaiser Wilhelm bewohnte das Schloß bis zu seinem Tode 1888.

Wie bei den anderen prinzlichen Anlagen war wiederum Lenné die gärtnerische Gestaltung des Geländes übertragen worden. Doch schon 1843 wurde er durch den Fürsten Pückler-Muskau abgelöst. Mit den Besitzern von Babelsberg befreundet und durch seinen eigenen Park in Muskau sowie das 1834 erschienene Buch »Andeutungen über die Landschaftsgärtnerei« berühmt geworden, erhielt er hier in Babelsberg Gelegenheit, sein in diesem Buch dargestelltes Konzept zu verwirklichen.

Da das 1843–45 nach Plänen von Ludwig Persius von Gottgetreu an der Glienicker Lake errichtete Wasserwerk eine großzügigere Bewässerung möglich machte, war den Bemühungen des die Pücklerschen Vorstellungen ausführenden Hofgärtners Kindermann mehr Erfolg beschieden als den Lennéschen Pflanzungen. Jetzt war auch die Anlage von künstlichen Seen und drei Wasserreservoirs, wovon das eine den 1853 begonnenen Flatowturm umgab, möglich geworden.

Dieses nach dem Vorbild des mittelalterlichen Eschenheimer Torturms in Frankfurt am Main von Strack errichtete Bauwerk ermöglicht von seinen Zinnen einen Rundblick über die weite Potsdamer Landschaft. Der Name ist von dem Gut Flatow in Westpreußen, das dem Prinzen Wilhelm gehörte, abgeleitet. Die Ausstattung der übereinanderliegenden Zimmer war eine Mischung aller Stile mit echten Gläsern, falschen Renaissancetruhen, Porzellanhunden u.v.a., das bald wieder zu besichtigen sein wird.

Am Ufer der Havel steht das Kleine Schloß, errichtet 1841/42 nach Angaben der Prinzessin Augusta und einem

Entwurf von Persius. Anfangs Wohnung des Kronprinzen Friedrich Wilhelm, des späteren Kaisers Friedrich III., war es dann für die Hofdamen bestimmt.

Ebenfalls zur Havel gewandt ist das Matrosenhaus mit seinem Giebel nach dem Vorbild eines Stendaler Wohnhauses. Hier wohnten die Matrosen, die die prinzlichen Boote ruderten.

Viele Reminiszenzen an das Mittelalter findet man also in Babelsberg. Dazu gehört auch die Gerichtslaube. Ursprünglich ein an das Berliner Rathaus gehörendes Gebäude, wurde sie im Zuge des Neubaus abgetragen und 1871 als »denkwürdiges Wahrzeichen aus der Vorzeit« dem Kaiser Wilhelm I. geschenkt und auf der Lennéhöhe durch Strack in veränderter Form aufgestellt.

Erinnerungsmale an die militärischen Erfolge des Prinzen, Königs und Kaisers wie der drachentötende Erzengel Michael am Schloß (1850), die Siegessäule (1871) und die Generalsbank (1882) fügen sich in den Park ein, der bis 1875 immer wieder durch Terrainankäufe erweitert wurde und eine Größe von 124 Hektar erreicht hat.

Babelsberg erschließt sich dem Betrachter nicht so offensichtlich wie Sanssouci und der Neue Garten. Wer aber erst einmal über die mit Bäumen bestandenen Hügel und durch den Pleasureground zum Schloß gelaufen ist und von hier nach Glienicke blickt, wird auch in diesem Park den Reiz und die Ideen eines großen Landschaftsgartens, der zu den bedeutendsten seiner Zeit zählt, entdecken.

Von Babelsberg aus lohnt sich ein Besuch des Jagdschlosses Stern am östlichen Rand der Stadt.

Das Interesse Friedrich Wilhelms I., des »Soldatenkönigs«, an der Potsdamer Umgebung beschränkte sich hauptsächlich auf die Ausnutzung für die Jagd. Die im 17. Jahrhundert bei Potsdam angelegten Tiergärten waren aber durch ihr hügeliges Gelände für die an anderen Fürstenhöfen Mitteleuropas betriebenen Parforcejagden ungeeignet. Dazu benötigte man ein möglichst ebenes Gelände, um das von der Meute aufgespürte Wild mit dem Pferd verfolgen und »par force« (mit Gewalt) erlegen zu können. Zu diesem Zweck ließ Friedrich Wilhelm I., der ein begeisterter Anhänger dieser Jagdart war, zwischen 1725 und 1729 östlich von Potsdam die alte »Bauernheide« (bei den Dörfern Stolpe, Stahnsdorf, Güterfelde, Drewitz und Neuendorf) in ein großes Jagdgebiet umwandeln, durch einen Palisadenzaun einhegen und von Schneisen durchziehen. Gemäß den Regeln für die Anlegung von Tiergärten trafen sich die Schneisen auf einem runden Sternplatz. In zeitgenössischen Schriften (1735) ist man erstaunt über die Größe der Anlage und berichtet, »der König hätte zu solchen Parforce-Gärten so viel Land genommen, als mancher kleiner Fürst in Teutschland besäße«.

Nicht, wie es üblich war, in der Mitte des Sterns, sondern an der Seite, baute man 1730/31 ein bescheidenes Jagdhaus, das die Bezeichnung Schloß eigentlich gar nicht verdient, in holländischer Ziegelbauweise. Ihm zugeordnet wurden 1730/32 das Kastellanhaus (heute Gaststätte) in Fachwerk und 1733 der Stall. Das Schloßinnere ist bescheiden: An der Giebelfront nimmt fast die Hälfte des Hauses ein Saal ein, hinzu kommen Küche, Flur, Adjutantenzimmer und ein Schlafraum mit einem Bett in Form einer Schiffskoje.

Wenn auch die weidmännische Pflege sehr bald nach dem Tode Friedrich Wilhelms I. aufhörte und der Palisadenzaun verschwand, so haben sich die Bauten am Stern und die Ansätze der wichtigsten Schneisen, teilweise sogar diese selbst, bis heute erhalten.

Blick auf die Ostseite des Schlosses Babelsberg, erbaut 1834–1849

Blick vom Pleasureground auf die Westseite des Schlosses Babelsberg

Decke im Tanzsaal des Schlosses Babelsberg

Tanzsaal im Schloß Babelsberg, entworfen von L. Persius, 1844

Voltaireterrasse an der Ostseite des Schlosses Babelsberg

Gerichtslaube des alten Berliner Rathauses, 1871 im Park
Babelsberg aufgestellt

Kleines Schloß im Park Babelsberg, errichtet 1841/42 nach Angaben
der Prinzessin Augusta

Matrosenhaus im Park Babelsberg, erbaut 1842 in Anlehnung an den
Giebel eines Stendaler Wohnhauses

Jagdschloß Stern, errichtet 1730/32 für Friedrich Wilhelm I. im Stil
eines holländischen Wohnhauses

Saal im Jagdschloß Stern mit Stühlen aus dem Tabakskollegium
Friedrich Wilhelms I.

INHALT

DIE AUTOREN

MANFRED HAMM,
geboren 1944 in Zwickau, lebt und arbeitet in Berlin als
Fotograf, u.a. für deutsche und ausländische Zeitschriften
und Kunstverlage. Für die Bildbände: Berlin – Denkmäler
einer Industrielandschaft (1978) und Caféhäuser (1979)
erhielt er jeweils den Kodak-Fotobuchpreis. Weitere
Arbeiten: Bahnhöfe (1984), Berlin – Naturlandschaften,
Parks und Gärten (1985), Backsteinbauten zwischen
Lübeck und Stralsund (1990) und Potsdam (1990). Alle
Titel sind bei Nicolai erschienen.

HANS-JOACHIM GIERSBERG,
Dr. phil., geboren 1938. Studium der Kunstgeschichte,
Geschichte und Völkerkunde an der Berliner Humboldt-
Universität. Seit 1964 wiss. Mitarbeiter für Skulpturen in
den Staatlichen Schlössern und Gärten in Potsdam, seit
1978 Direktor der Schlösser. Zahlreiche Veröffentlichun-
gen zur Kunst- und Kulturgeschichte Potsdams, u.a. Potsdamer Veduten (1980), Potsdamer Schlösser in Geschichte
und Kunst (1984), Friedrich als Bauherr (1986) sowie Mit-
arbeit an Ausstellungen im In- und Ausland: Karl Friedrich Schinkel (Berlin 1980/81, Hamburg 1982/83), Friedrich II. und die Kunst (1986 Potsdam-Sanssouci), Der
Große Kurfürst (1988 Potsdam-Sanssouci).